만점왕 알파북

어휘편

4-1

본 알파북은 **어휘력 향상**에 도움이 될 만한

사자성어와 **속담**으로 구성하였습니다.

예시를 통해 의미를 파악할 수 있도록 제시하였으며,

학습한 내용은 연습과 문제를 통해 확인해 볼 수 있습니다.

만점왕 알파북 어휘편으로 재미있게 어휘 능력을 키워 보세요!

차례

차례

속담

사자성어

개과천선

改過遷善

고칠 개　　허물 과　　옮길 천　　착할 선

지난 허물을 고치고 착한
사람이 된다는 의미예요.

진나라의 양흠 지방에 주처라는 사람이 살고 있었어요. 그는 아버지를 어려서 여의고 제멋대로 방탕하게 지냈답니다. 다른 사람들에게 포악하게 굴기도 했어요. 그래서 마을 사람들은 주처를 매우 싫어했지요. 그를 마을의 남산에 있는 사나운 호랑이, 장교 아래에 사는 교룡과 묶어서 세 가지 해로운 것이라고 말할 정도였어요. 이 사실을 알게 된 주처는 깜짝 놀랐어요. 그래서 자신이 예전에 했던 잘못된 행동들을 뉘우치고 새 사람이 되기로 마음먹었어요. 그 후 주처는 10여 년간 열심히 공부하여 훌륭한 학자가 되었답니다.

 이렇게
사용해요!
아버지께서는 어린 시절에는 말썽꾸러기였으나 **개과천선**하여 지금은 훌륭한 선생님
이 되셨다.

따라 쓰며 사자성어를 익혀요!

改 고칠 개	改 고칠 개				
過 허물 과	過 허물 과				
遷 옮길 천	遷 옮길 천				
善 착할 선	善 착할 선				

改	過	遷	善	改	過	遷	善

사자성어 2

결초보은
結 草 報 恩
맺을 결 풀 초 갚을 보 은혜 은

죽어서까지도 다른 사람의 은혜를 잊지 않고 갚는다는 의미예요.

진나라에 살았던 위무는 자신이 얼마 살지 못한다는 것을 알고 아들 위과에게 자신이 죽거든 사랑하는 첩을 좋은 사람에게 시집보내 주라고 말했어요. 얼마 뒤, 병이 더 심해진 위무는 다시 위과를 불러 자신이 죽거든 첩과 함께 땅에 묻어 달라고 말했어요. 그리고 위무는 세상을 떠났답니다. 위과는 아버지의 두 가지 유언을 두고 고민하다가 첫 번째 유언을 따랐어요. 맑은 정신으로 한 첫 번째 유언을 따르는 것이 맞다고 생각한 것입니다. 몇 년이 지난 뒤, 위과는 적군에게 쫓기는 와중에 들판에서 풀을 묶고 있는 노인을 보았어요. 그런데 그를 뒤쫓던 적군이 그 노인이 묶은 풀에 걸려 넘어지는 것이 아니겠어요? 위과는 얼른 적군을 사로잡아 공을 세울 수 있었답니다. 그날 밤, 위과의 꿈에 풀을 묶고 있던 노인이 나타나 말했어요. 노인의 딸은 위무의 첩이었으며, 딸을 살려준 은혜를 갚기 위해 오늘 그와 같은 행동을 했다고 말이에요.

이렇게 사용해요! 우리들은 부모님께 **결초보은**하기 위해 오늘도 열심히 공부한다.

따라 쓰며 사자성어를 익혀요!

結	結			
맺을 결	맺을 결			
草	草			
풀 초	풀 초			
報	報			
갚을 보	갚을 보			
恩	恩			
은혜 은	은혜 은			

結	草	報	恩

結	草	報	恩

사자성어 3

금상첨화

錦上添花

비단 금   윗 상   더할 첨   꽃 화

좋은 일에 또 좋은 일이 생긴다는 의미예요.

북송 시대에 왕안석이라는 사람이 벼슬자리에서 물러난 뒤 남경의 한적한 곳에서 지냈답니다. '금상첨화' 는 왕안석이 이때 지은 시의 한 구절에서 유래되었어요.

강물은 남원을 흘러 서쪽으로 기우는데 / 바람에는 맑은 빛이 있고 이슬에는 꽃의 화려함이 있네.
문 앞 버드나무 자리는 옛날 도연명의 집이고, / 우물가의 오동나무 자리는 전날 총지의 집이라.
좋은 모임에서 술잔을 거듭 비우는데 / 아름다운 노래가 비단 위에 꽃을 더하는구나.
문득 무릉의 술과 안주를 즐기는 손님이 되어 / 내 근원에 아직 붉은 노을이 적지 않으리라.

이렇게 사용해요! 생일 선물에 편지까지 받으니 **금상첨화**이다.

따라 쓰며 사자성어를 익혀요!

錦 비단 금	錦 비단 금			
上 윗 상	上 윗 상			
添 더할 첨	添 더할 첨			
花 꽃 화	花 꽃 화			

錦	上	添	花

錦	上	添	花

동병상련
同 病 相 憐

한가지 동   병 병   서로 상   불쌍히 여길 련

어려운 처지에 있는 사람끼리 서로 불쌍히 여겨 도와준다는 의미예요.

초나라에 살았던 오자서는 비무기라는 간신의 모함으로 아버지와 형을 잃고 오나라로 망명했어요. 그리고 얼마 지나지 않아 초나라의 백비라는 사람이 오나라로 망명해 왔어요. 그 역시 비무기의 모함으로 아버지를 잃고 온 것이었지요. 오자서는 임금에게 백비를 추천하여 벼슬자리를 주었답니다. 피리라는 사람이 이것을 보고 백비는 남을 해칠 상인데 왜 백비를 감싸는 것인지 오자서에게 물었어요.

"'같은 병을 가진 사람끼리 서로 불쌍히 여긴다.' 라는 말처럼 나도 나와 처지가 비슷한 백비를 안쓰럽게 여겨 도와주는 것뿐이오."

그러나 훗날 오자서는 결국 백비의 모함으로 죽고 말았어요.

이렇게 사용해요! 지선이는 돈을 잃어버린 윤정이에게 **동병상련**의 감정을 느꼈다.

따라 쓰며 사자성어를 익혀요!

同	同			
한가지 동	한가지 동			
病	病			
병 병	병 병			
相	相			
서로 상	서로 상			
憐	憐			
불쌍히 여길 련	불쌍히 여길 련			

同	病	相	憐		同	病	相	憐

사자성어 **5**

맹모삼천

孟母三遷

성씨 **맹**   어미 **모**   석 **삼**   옮길 **천**

교육에는 두위 환경이 중요하다는 의미예요.

맹자는 어렸을 때 묘지 근처에 살았던 적이 있어요. 그곳에서 길을 지나가는 상여와 곡소리를 내는 사람들을 자주 보았지요. 어린 맹자는 자연스럽게 그 모습을 따라하며 놀게 되었답니다. 그것을 본 맹자의 어머니는 묘지 근처에서 사는 것이 맹자의 교육에 전혀 도움이 되지 않는다는 것을 깨닫고 시장 근처로 이사를 갔어요. 시장은 물건을 사고파는 장사꾼들로만 가득했어요. 그것을 본 맹자는 장사꾼 흉내를 내며 놀기 시작했답니다. 그 모습을 본 맹자의 어머니는 서당 근처로 이사를 했답니다. 그랬더니 맹자가 글공부하는 흉내를 내고 웃어른에게 예의를 갖추어 행동하는 것이 아니겠어요? 서당 근처야말로 아들의 교육에 더없이 좋은 장소라는 것을 깨달은 맹자의 어머니는 서당 근처에서 계속 살기로 마음먹었답니다.

이렇게 사용해요!   "맹모삼천이라고, 놀 곳이 많은 동네보다는 조용한 동네가 공부하기 좋겠지."

따라 쓰며 사자성어를 익혀요!

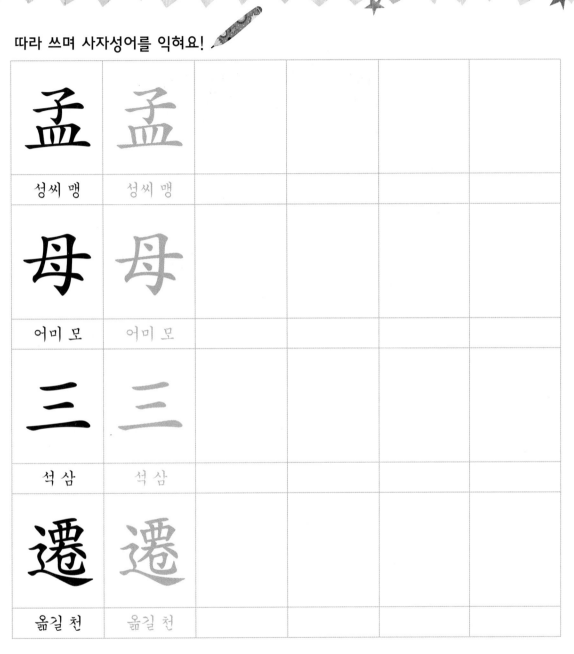

孟	孟				
성씨 맹	성씨 맹				
母	母				
어미 모	어미 모				
三	三				
석 삼	석 삼				
遷	遷				
옮길 천	옮길 천				

孟	母	三	遷	孟	母	三	遷

사면초가

四 面 楚 歌
넉 **사**　　낮 **면**　　초나라 **초**　　노래 **가**

적들에게 둘러싸인 위급한 상황을 뜻해요.

초나라 항우가 해하에서 한나라 유방의 군대에 포위당했을 때의 일이에요. 항우의 군대는 사기가 땅에 떨어져 한숨 소리만 들렸답니다. 그러던 어느 날 밤이었어요. 사방에서 초나라의 노래가 들려오는 거예요. 사기가 떨어진 병사들은 그 노래를 들으며 고향에 대한 그리움에 눈물지었어요. 그런 밤이 며칠 간 이어졌어요. 병사들 몇몇은 도망가고, 남아 있는 병사들도 실의에 빠졌어요. 그 모습을 지켜본 항우는 이렇게 한탄했어요.
"우리가 한나라에게 졌구나!"
사실 초나라의 노래를 부른 사람들은 유방의 병사들이었어요. 항우의 병사들의 사기를 떨어뜨리기 위해 심리전을 펼쳤던 것이지요. 결국 유방이 항우에게 승리하고, 항우는 죽음을 택했답니다.

이렇게 사용해요! 준석이는 사나운 개들에게 둘러싸인 **사면초가**의 상황에 어쩔 줄을 몰랐다.

따라 쓰며 사자성어를 익혀요!

四	四			
넉 사	넉 사			
面	面			
낯 면	낯 면			
楚	楚			
초나라 초	초나라 초			
歌	歌			
노래 가	노래 가			

四	面	楚	歌	四	面	楚	歌

살신성인
殺身成仁
죽일 **살**　　몸 **신**　　이룰 **성**　　어질 **인**

다신을 희생하여 옳은 일
을 행한다는 의미예요.

다음은 공자의 언행을 적어 놓은 유교의 경전인 『논어』에 나오는 한 구절이에요.

"뜻이 있는 사람이나 인이 있는 사람은 저 혼자 살기 위해 인을 저버리지 않으며, 자신을 희생
하여 인을 이룩한다."

이 말에서 '살신성인'이라는 말이 유래되었어요. 자신을 희생하는 것을 '살신'이라 하고, 인을
이룩하는 것을 '성인'이라 하지요. 둘이 합쳐져서 '살신성인'이라는 사자성어가 된 것이에요.

이렇게 사용해요!　　그녀는 어려운 사람들을 돕기 위해 **살신성인**의 자세로 봉사를 했다.

따라 쓰며 사자성어를 익혀요!

殺 죽일 살	殺 죽일 살			
身 몸 신	身 몸 신			
成 이룰 성	成 이룰 성			
仁 어질 인	仁 어질 인			

殺	身	成	仁

殺	身	成	仁

사자성어 8

소탐대실

小貪大失

작을 소　탐할 탐　큰 대　잃을 실

작은 걸을 욕심내다가 오히려 훨씬 더 큰 건을 잃는다는 의미예요.

진나라는 넓은 평야와 농사에 적합한 환경을 가진 촉나라를 호시탐탐 노리고 있었어요. 그러던 중 촉나라의 왕이 욕심이 매우 많다는 이야기를 전해 들은 진나라의 왕은 꾀를 하나 냈어요. 커다란 황소 모형을 만들어 그 황소가 황금 똥을 눈다는 소문을 퍼뜨렸답니다. 계획대로 촉나라 왕도 그 소문을 들었어요. 진나라 왕은 촉나라의 왕에게 다음과 같은 내용의 편지를 보냈어요.

"만약 황금 소가 진나라에서 촉나라로 갈 수 있도록 큰길을 만든다면 황금 소를 선물로 드리겠습니다."

이 말을 듣자마자 촉나라 왕은 신하들의 반대에도 불구하고 바로 공사에 착수했어요. 그리고 진나라와 촉나라를 연결하는 큰길이 만들어지자마자 진나라는 촉나라를 점령해 버렸답니다.

이렇게 사용해요! 유민이는 소탐대실하지 않기 위해 친구들보다 지우개를 더 많이 가지려는 욕심을 버렸다.

따라 쓰며 사자성어를 익혀요!

小	小			
작을 소	작을 소			
貪	貪			
탐할 탐	탐할 탐			
大	大			
큰 대	큰 대			
失	失			
잃을 실	잃을 실			

小	貪	大	失	小	貪	大	失

사자성어 **9**

연목구어

緣木求魚

인연 **연**　　나무 **목**　　구할 **구**　　물고기 **어**

불가능한 일을 고집하는 어리석음을 뜻해요.

제나라의 선왕은 마음속에 천하를 통일하고자 하는 큰 꿈을 품고 있었어요. 어느 날 선왕은 맹자를 불러 춘추 시대에 무력 정치를 했던 제나라 환공과 진나라 문공에 대한 이야기를 들려 달라고 부탁했어요. 그러자 맹자는 전쟁을 일으켜 백성들을 위험한 상황으로 몰아넣고, 이웃 나라와 대립하기를 원하는지 물어보았어요. 선왕은 자신의 큰 꿈을 실현시키기 위해 어쩔 수 없이 무력을 선택할 수밖에 없다고 대답했지요. 그러자 맹자는 이렇게 대답했어요.

"폐하, 무력으로 천하를 통일하는 것은 나무에 올라가서 물고기를 구하는 것과 같습니다. 천하를 통일하기는커녕 도리어 백성을 잃고 나라를 망하게 만들 것입니다."

맹자의 이 말에서 '연목구어'가 유래되었어요.

이렇게 사용해요! 　우물가에 가서 숭늉을 찾는 것은 **연목구어**나 다름없다.

따라 쓰며 사자성어를 익혀요!

緣	緣			
인연 연	인연 연			
木	木			
나무 목	나무 목			
求	求			
구할 구	구할 구			
魚	魚			
물고기 어	물고기 어			

緣	木	求	魚	緣	木	求	魚

오리무중

五里霧中

다섯 오   마을 리   안개 무   가운데 중

일의 실마리를 찾지 못한다는 의미예요.

후한에 장해라는 선비가 있었어요. 그는 높은 학문과 도술로 매우 유명해서, 나라에서는 그를 지방 장관으로 삼으려 했어요. 또 하루에도 수많은 사람들이 그를 찾았어요. 장해의 능력을 배우거나 그와 친해지고 싶었거든요. 하지만 장해는 사람들이 찾아오는 것을 달갑게 여기지 않아, 화음산의 깊은 골짜기에 있는 고향으로 돌아갔어요. 고향에 간 뒤에도 그를 찾는 사람들은 구름같이 많았어요.

어느 날은 사방 3리를 짙은 안개로 덮는 능력을 지닌 배우라는 사람이 장해를 찾아 화음산으로 들어갔어요. 장해에게 도술을 더 배우고 싶었거든요. 하지만 장해가 사방 5리를 짙은 안개로 덮어버린 탓에 결국 배우는 장해를 찾을 수 없었답니다.

이렇게 사용해요! 범인은 일주일 전 감옥을 몰래 빠져나왔는데, 행방이 아직까지 **오리무중**이다.

따라 쓰며 사자성어를 익혀요!

五	五				
다섯 오	다섯 오				
里	里				
마을 리	마을 리				
霧	霧				
안개 무	안개 무				
中	中				
가운데 중	가운데 중				

五	里	霧	中	五	里	霧	中

외유내강

外 柔 内 剛

바깥 외　부드러울 유　안 내　굳셀 강

겉으로 보기에는 부드러우나 속마음은 단단하다는 의미예요.

당나라에 노탄이라는 신하가 있었어요. 어느 날, 황제가 요남중이라는 사람을 절도사의 자리에 임명했어요. 당시 군대 감독관으로 있었던 설영진은 이 소식을 듣자마자 글공부만 한 선비인 요남중을 절도사에 임명해서는 안 된다고 주장했답니다. 그러자 노탄이 이렇게 말했어요.

"요남중은 겉으로는 유약해 보이지만 속은 누구보다도 강한 사람입니다. 저는 설영진의 의견에는 따를 수 없습니다."

노탄의 이 말에서 '외유내강'이 유래되었어요.

 이렇게 사용해요! 수정이는 **외유내강**으로 웬만한 일에는 눈 하나 깜짝하지 않는다.

따라 쓰며 사자성어를 익혀요!

外	外			
바깥 외	바깥 외			
柔	柔			
부드러울 유	부드러울 유			
内	内			
안 내	안 내			
剛	剛			
굳셀 강	굳셀 강			

外	柔	内	剛		外	柔	内	剛

사자성어 **12**

이 책은 처음에는 거창하게 시작하지만 끝으로 갈수록 별로네. **용두사미**로구나.

용두사미

龍 頭 蛇 尾

용 **용**   머리 **두**   뱀 **사**   꼬리 **미**

시작은 그럴듯했으나 나중에는 흐지부지되는 것을 뜻해요.

송나라에 진존숙이라는 승려가 있었어요. 그는 도를 깨우치기 위해 이곳저곳 돌아다니며 수행을 했는데, 어느 날은 한 승려를 만났답니다. 그 승려는 진존숙을 보자마자 대뜸 "에잇!" 하고 큰소리를 쳤어요. 승려들은 '선문답'이라는 것을 하며 상대방의 수행 정도를 가늠하는데, 그 승려가 시작을 "에잇!"으로 한 거예요.

진존숙은 '내가 먼저 당했구나.' 라고 생각하며 당황하여 쳐다보았는데, 그 승려가 다시 "에잇!" 하고 소리치는 게 아니겠어요? 진존숙은 뭔가 이상하다는 생각이 들었어요. 다시 찬찬히 살펴보니 그럴듯하게 보이지만 사실은 도를 깨우치지 못한, 용두사미한 인물로 보였어요.

"'에잇!' 소리만 치는데 문답은 어떻게 마무리할 생각이오?"

진존숙이 이렇게 물으니 승려는 꽁무니가 빠지게 달아났어요.

이렇게 사용해요!   계획은 크고 꼼꼼히 세웠지만 실행을 제대로 하지 못해 **용두사미**가 되었다.

龍	龍			
용 용	용 용			
頭	頭			
머리 두	머리 두			
蛇	蛇			
뱀 사	뱀 사			
尾	尾			
꼬리 미	꼬리 미			

龍	頭	蛇	尾	龍	頭	蛇	尾

자포자기

自 暴 自 棄

스스로 **자** 사나울 **포** 스스로 **자** 버릴 **기**

자신을 스스로 해치고 버
린다는 의미예요.

"스스로를 해치는 사람과 함께 말할 수 없으며, 스스로를 버리는 사람과도 함께 진리를 행할 수 없다. 말로써 예의를 비방하는 것을 스스로를 해치는 것(자포)이라 하며, 의로운 행동을 실천하지 못하는 것을 스스로를 버리는 것(자기)이라 한다."
이 말에서 '자포자기' 라는 말이 유래되었어요.

이렇게 사용해요! 유진이는 열심히 준비한 시험에 떨어져서 **자포자기**한 상태이다.

따라 쓰며 사자성어를 익혀요!

自	自				
스스로 자	스스로 자				
暴	暴				
사나울 포	사나울 포				
自	自				
스스로 자	스스로 자				
棄	棄				
버릴 기	버릴 기				

自	暴	自	棄		自	暴	自	棄

주경야독

晝耕夜讀
낮 주　밭갈 경　밤 야　읽을 독

어려운 환경 속에서도 열심히 공부한다는 의미예요.

위나라에 최광이라는 사람이 있었어요. 젊은 시절, 그는 가난하고 어려운 환경 때문에 공부만 할 수는 없는 상황이었어요. 하지만 공부를 하고 싶은 마음이 너무 컸어요. 그래서 낮에는 밭에서 일을 하고, 밤에는 책을 읽으며 공부했다고 해요. 그렇게 열심히 공부한 결과, 당시 최고의 학자가 되어 나라에서 높은 벼슬을 했어요.

이렇게 사용해요! 형은 어려운 형편에도 **주경야독**하더니 대학교에 합격했다.

따라 쓰며 사자성어를 익혀요!

晝	晝				
낮 주	낮 주				
耕	耕				
밭갈 경	밭갈 경				
夜	夜				
밤 야	밤 야				
讀	讀				
읽을 독	읽을 독				

晝	耕	夜	讀	晝	耕	夜	讀

그래! **파죽지세**로 다 제치고 골대로 가는 거야!

파죽지세

破 竹 之 勢

깨뜨릴 **파**　대나무 **죽**　갈 **지**　형세 **세**

거침없이 적을 물리치는 맹렬한 기세를 의미해요.

진나라의 장군 두예는 임금의 명령에 따라 오나라를 점령하러 갔어요. 맹렬한 기세로 오나라를 완전히 궁지로 몬 그는 마지막 작전 회의를 열었어요. 그때 한 장수가 말했어요.

"장군, 지금은 봄철이라 비가 자주 내려 강물이 넘칠 수 있는 데다 전염병이 번질 우려가 있습니다. 일단 후퇴했다가 겨울에 다시 공격하는 것이 낫지 않겠습니까?"

그러자 두예가 이렇게 말했어요.

"지금 우리 군대의 사기는 매우 높아 마치 대나무를 쪼개는 듯하다. 대나무는 처음 두세 마디만 쪼개면 그 다음부터는 칼날만 대도 저절로 쪼개지는 법인데, 지금 공격을 그만두면 어떤 이득이 있겠는가?"

두예는 곧장 군대를 이끌고 오나라를 공격했고, 마침내 오나라는 항복을 했어요.

이렇게 사용해요!　영화 속 주인공은 그야말로 **파죽지세**로 적군을 다 쓰러뜨렸다.

따라 쓰며 사자성어를 익혀요!

破	破			
깨뜨릴 파	깨뜨릴 파			
竹	竹			
대나무 죽	대나무 죽			
之	之			
갈 지	갈 지			
勢	勢			
형세 세	형세 세			

破	竹	之	勢	破	竹	之	勢

메모

속담

개구리 올챙이 적 생각 못 한다

예전의 어려웠던 형편이나 보잘것없었던 자신의 처지를 생각하지 않고 처음부터 그랬던 것 마냥 잘난 체한다는 의미예요.

이렇게 사용해요!

개구리 올챙이 적 생각 못 한다더니, 기훈이는 자기가 10살까지 네발자전거를 탔던 것을 까맣게 잊고 동생에게 두발자전거를 잘 못 탄다며 나무랐다.

더 알아보기

• **비슷한 속담**: 올챙이 적 생각을 못하고 개구리 된 생각만 한다

개도 주인을 알아본다

개도 자신을 돌봐 주는 주인을 알아본다는 뜻이에요. 자기를 도와준 이에 대한 고마움을 잊고 배은망덕하게 구는 사람을 꾸짖을 때 하는 말이에요.

이렇게 사용해요!

"개도 주인을 알아본다고 하는데 저 사람은 개만도 못해. 어려웠던 시절 성심성의껏 도와준 이웃집 할머니가 아프신데 병문안 한번 가지도 않고……."

더 알아보기

• **비슷한 속담**: 개도 제 주인을 보면 꼬리 친다

문제를 풀며 속담을 익혀요!

1 다음 속담의 빈칸에 알맞은 말을 써넣으시오.

(1) 개도 (   )을 알아본다
(2) 개구리 (   ) 적 생각 못 한다

2 다음 빈칸에 알맞은 속담을 고르시오. (   )

> '(   ).'(라)더니 오빠는 자기도 초등학생 때에는 키가 작았으면서 나에게 땅꼬마라며 놀린다.

① 개도 주인을 알아본다
② 닭 잡아먹고 오리 발 내놓기
③ 개구리 올챙이 적 생각 못 한다
④ 도둑을 맞으려면 개도 안 짖는다
⑤ 드는 정은 몰라도 나는 정은 안다

3 다음 상황에 어울리는 속담을 찾아 선으로 이으시오.

(1) 성희는 자신도 처음 입학했을 때 학교에 가기 싫어했던 일은 잊고 학교에 가기 싫다고 말하는 동생을 나무랐다. •

(2) 민지는 사촌 언니가 피아노를 잘 가르쳐 준 덕분에 이번 피아노 대회에서 우수상을 받았다. 그런데 고마운 마음도 잊었는지 그 후 친구들에게 사촌 언니가 자기보다 피아노를 못 친다고 험담을 했다. •

• ① 개도 주인을 알아본다

• ② 번갯불에 콩 볶아 먹겠다

• ③ 메뚜기도 유월이 한철이다

• ④ 개구리 올챙이 적 생각 못 한다

• ⑤ 돌다리도 두들겨 보고 건너라

굴러 온 돌이 박힌 돌 뺀다

밖에서 들어온 지 얼마 안 된 사람이 오래전부터 있었던 사람을 내쫓거나 해치려 한다는 의미예요.

이렇게 사용해요!

굴러 온 돌이 박힌 돌 뺀다더니, 모임에서 유일한 여자라서 귀여움을 독차지하던 예진이는 새로 주현이가 오자마자 찬밥 신세가 되었다.

더 알아보기

• 비슷한 속담: 굴러 온 돌한테 발등 다친다

굼벵이도 구르는 재주가 있다

아무런 능력이 없는 사람이 남의 관심을 끌 만한 행동을 함을 놀림조로 하는 말이에요. 또 아무리 능력이 부족한 사람이라도 나름의 재주는 있다는 의미도 있어요.

이렇게 사용해요!

굼벵이도 구르는 재주가 있다고, 모든 일에 서투른 수민이도 바느질 솜씨 하나는 뛰어나다.

더 알아보기

• 비슷한 속담: 굼벵이도 꾸부리는 재주가 있다

1 다음 속담의 빈칸에 알맞은 말을 써넣으시오.

(1) 굴러 온 돌이 (　　　　　) 돌 뺀다

(2) (　　　　　)도 구르는 재주가 있다

2 다음 상황에 알맞은 속담을 고르시오. (　　　)

> 　종우는 귀여운 고양이를 키우고 있었어요. 그런데 옆집 아주머니께서 여행을 가신다며 강아지를 맡기셨어요. 잠시 뒤에 보니 강아지는 제집인 양 고양이의 장난감도 가지고 놀고 있고, 고양이의 푹신한 방석도 차지하고 있었어요. 고양이는 겁이 났는지 한쪽 구석에 숨어 있었지요.

① 비단옷 입고 밤길 가기
② 떡 본 김에 제사 지낸다
③ 굴러 온 돌이 박힌 돌 뺀다
④ 굼벵이도 구르는 재주가 있다
⑤ 못된 송아지 엉덩이에 뿔이 난다

3 다음 대화에 어울리는 속담을 찾아 선으로 이으시오.

(1)
> 준형: 지금도 친구들이 유민이에게 그림을 그려 달라고 하니?
> 연희: 아니, 전학 온 시현이가 그림을 더 잘 그려서 이제는 시현이에게 부탁해.

• ① 받아 놓은 밥상

• ② 아닌 밤중에 홍두깨

• ③ 굴러 온 돌이 박힌 돌 뺀다

• ④ 굼벵이도 구르는 재주가 있다

(2)
> 지현: 진연이가 만든 것 좀 봐! 잘 만들었다!
> 이현: 그러게! 진연이가 다른 건 잘 못하지만 로봇은 정말 잘 만드는 것 같아.

• ⑤ 사공이 많으면 배가 산으로 간다

꿩 대신 닭

꼭 적당한 것이 없을 때 그와 비슷한 것으로 대신한다는 의미예요.

이렇게 사용해요!

'꿩 대신 닭.'이라고 미처 풀을 챙겨 오지 못한 미현이네 모둠은 풀 대신 테이프를 사용하여 작품을 만들었다.

더 알아보기

• **비슷한 속담**: 봉 아니면 꿩이다

나 먹기는 싫어도 남 주기는 아깝다

자신에게는 아무 소용도 없지만 남에게 주기는 싫은 인색한 마음을 뜻해요.

이렇게 사용해요!

"나 먹기는 싫어도 남 주기는 아까워서 이제는 필요 없는 만년필을 책상 속에 꼭꼭 숨겨 두었어."

더 알아보기

• **비슷한 속담**: 나 먹자니 싫고 개 주자니 아깝다

1 다음 속담의 빈칸에 알맞은 말을 써넣으시오.

(1) (   ) 대신 닭
(2) (   ) 먹기는 싫어도 (   ) 주기는 아깝다

2 다음 상황에 알맞은 속담을 고르시오. (   )

> 수현이는 동생과 함께 과자를 먹고 있었어요. 그런데 문득 해야 할 숙제가 생각나서 과자를 그만 먹기로 했어요. 과자가 눅눅해지는 것을 막기 위해 밀봉 클립으로 봉지 입구를 막으려는데, 밀봉 클립이 안 보이는 거예요. 고무줄이나 테이프도 보이지 않았지요. 결국 수현이는 자신의 머리 끈으로 과자 봉지 입구를 묶었답니다.

① 꿩 대신 닭
② 선무당이 사람 잡는다
③ 듣기 좋은 꽃노래도 한두 번이지
④ 나는 바담 풍 해도 너는 바람 풍 해라
⑤ 백 번 듣는 것이 한 번 보는 것만 못하다

3 다음 대화에 어울리는 속담을 찾아 선으로 이으시오.

(1)
> 진수: 필통을 아무리 뒤져 봐도 칼은 없어. 미안해.
> 민석: 괜찮아, 가위를 사용하면 돼.

• ① 꿩 대신 닭

• ② 밑져야 본전

• ③ 달도 차면 기운다

(2)
> 준수: 누나, 누나는 연필 안 쓰니까 저 연필깎이 이제 안 쓰지? 나한테 주면 안 될까?
> 여진: 흥, 싫어. 나도 다음에 쓸 일이 생길 수도 있잖아. 필요하면 네 용돈으로 사.

• ④ 나 먹기는 싫어도 남 주기는 아깝다

• ⑤ 미꾸라지 한 마리가 온 웅덩이를 흐려 놓는다

돌다리도 두들겨 보고 건너라

아무리 잘 아는 일이라도 세심하게 주의를 하라는 의미예요.

이렇게 사용해요!

"예상치 못한 일이 일어날 수도 있으니 돌다리도 두들겨 보고 건너도록 해."

더 알아보기

• **비슷한 속담**: 아는 길도 물어 가랬다 / 얕은 내도 깊게 건너라

돼지에 진주 목걸이

값어치를 알지 못하는 사람에게는 보물도 아무 소용없다는 의미예요.

이렇게 사용해요!

"그 야구공이 얼마나 귀한 것인지 알지도 못하는 사람에게 왜 주었어. 돼지에 진주 목걸이잖아."

더 알아보기

• **개 발에 편자**: 옷차림이나 지닌 물건 따위가 제격에 맞지 아니하여 어울리지 않음을 비유적으로 이르는 말.

문제를 풀며 속담을 익혀요!

1 다음 속담의 빈칸에 알맞은 말을 써넣으시오.

(1) 돼지에 (   ) 목걸이
(2) (   )도 두들겨 보고 건너라

2 다음 빈칸에 알맞은 속담을 고르시오. (   )

> "신호등이 초록색 불이라도 좌우는 살펴보고 건너야지, '(   ).'
> (라)는 말이 있잖아. 평소에도 조심해야 해."

① 어르고 뺨 치기
② 땅 짚고 헤엄치기
③ 돼지에 진주 목걸이
④ 혹 떼러 갔다 혹 붙여 온다
⑤ 돌다리도 두들겨 보고 건너라

3 다음 상황에 어울리는 속담을 찾아 선으로 이으시오.

• ① 돼지에 진주 목걸이

(1) 재신이는 시험 문제를 다 풀었지만 혹시 실수한 것이 있을까 봐 다시 한 번 보았다. •

• ② 바늘 가는 데 실 간다

• ③ 떡 본 김에 제사 지낸다

• ④ 돌다리도 두들겨 보고 건너라

(2) 평소에 음악회에 즐겨 가는 현지 대신에 음악에는 관심도 없는 민석이가 유명한 지휘자가 나오는 클래식 음악회에 갔다. •

• ⑤ 사람 나고 돈 났지 돈 나고 사람 났나

떡 줄 사람은 꿈도 안 꾸는데 김칫국부터 마신다

해 줄 사람은 생각도 하지 않는데 미리부터 다 된 일로 알고 행동한다는 의미예요.

이렇게 사용해요!

"너한테는 선물 안 줄 건데? 떡 줄 사람은 꿈도 안 꾸는데 김칫국부터 마시고 있어!"

더 알아보기

• **비슷한 속담:** 떡방아 소리 듣고 김칫국 찾는다

마른하늘에 날벼락

예상치 못한 상황에서 뜻밖의 큰 재앙이나 불행을 당한다는 의미예요.

이렇게 사용해요!

"열심히 모은 돈을 오늘 은행에서 찾았는데 소매치기를 당하고 말았어! 마른하늘에 날벼락이군!"

더 알아보기

• **비슷한 속담:** 맑은 하늘에 벼락 맞겠다

문제를 풀며 속담을 익혀요!

1 다음 속담의 빈칸에 알맞은 말을 써넣으시오.

(1) 마른하늘에 (   )
(2) 떡 줄 사람은 꿈도 안 꾸는데 (   )부터 마신다

2 다음 빈칸에 알맞은 속담을 고르시오. (   )

> "이번에 생일 선물로 받은 지갑을 잃어버리고 말았어. 정말 아끼던 것이었는데. 그야 말로 '(   ).' (이)야!"

① 첫술에 배부르랴
② 마른하늘에 날벼락
③ 아닌 밤중에 홍두깨
④ 바람 부는 대로 물결 치는 대로
⑤ 사공이 많으면 배가 산으로 간다

3 다음 상황에 어울리는 속담을 찾아 선으로 이으시오.

상황		속담
(1) 어머니는 할머니께서 선물을 사 오지 않을 것이라고 말씀하셨지만 호정이는 선물을 상상하며 신이 나 있었다.	•	① 마른하늘에 날벼락
		② 비단옷 입고 밤길 가기
		③ 소 잃고 외양간 고친다
(2) 수희는 놀이터에서 놀다가 갑자기 누군가 뒤에서 확 밀어서 무릎을 많이 다쳤다.	•	④ 얌전한 고양이 부뚜막에 먼저 올라간다
		⑤ 떡 줄 사람은 꿈도 안 꾸는데 김칫국부터 마신다

39쪽

1. (1) 주인　(2) 올챙이

2. ③

3. (1) ④　(2) ①

41쪽

1. (1) 박힌　(2) 굼벵이

2. ③

3. (1) ③　(2) ④

43쪽

1. (1) 꿩　(2) 나, 남

2. ①

3. (1) ①　(2) ④

45쪽

1. (1) 진주　(2) 돌다리

2. ⑤

3. (1) ④　(2) ①

47쪽

1. (1) 날벼락　(2) 김칫국

2. ②

3. (1) ⑤　(2) ①